Authors' Note

Welcome to our Spriggles family! Spriggles combines "spirit" and "giggles" to motivate young children to lead healthy, active, and enthusiastic lifestyles.

It is important to recognize that while being colorful, playful, and fun, "Spriggles Motivational Books for Children" are, above all else, interactive and educational tools. These are books to be read together by parents and children, grandparents and children, educators and children, and anyone else with a sincere concern for the emotional and physical direction of our kids. As interactive tools, these books enable us to reinforce the positive messages contained on every page. When we read "Get out and about, Trout," it's an ideal time to explain to a child the importance of investigating the world around us and experiencing all the magic it has to offer. As well, when we read "Take a jog, Frog," it's an ideal time to explain the necessity of regular activity, and then to reinforce it with "Ride your bike, Pike," and "Play in the park, Shark."

Nota del autor

¡Bienvenidos a la familia Spriggles! Spriggles combina «espíritu» y «risas» para motivar a los niños a llevar vidas saludables, activas, y energéticas.

Es importante reconocer que, aunque coloridos, alegres, y divertidos, «Spriggles: libros motivacionales para niños» son, sobre todo, herramientas interactivas y educativas. Son libros que se debe leer juntos con padres e hijos, abuelos e hijos, maestros y niños, y cualquier otra persona con una preocupación sincera por la dirección emocional de nuestros niños. Como herramientas interactivas, estos libros nos permiten reforzar los mensajes positivos contenidos en cada página. Cuando leemos –Sal y actívate, Trucha– es un tiempo ideal para explicarles a niños la importancia de investigar el mundo alrededor de nosotros y aprender por uno mismo la magia que nos ofrece. También, cuando leemos –Toma un trote, Rana– es un tiempo ideal para explicarles la necesidad del ejercicio habitual y después reforzarlo con –Móntate en bicicleta, Pez– y –Juega en el parque, Tiburón–.

Freddie Frog loves to run outdoors but sometimes needs a little push to get him going.

So what do we tell fast Freddie?

Freddie el rana le encanta correr afuera pero a veces él necesita un poco de ánimo.

¿Pues qué le decimos al rápido Freddie?

"Take a jog, Frog"
-Toma un trote, Rana-

Carly Caribou and her friends have fun racing down the river.

So what do we tell Carly?

Carly la caribú y sus amigos disfrutan de echar carreras por el rio.

¿Pues qué le decimos a Carly?

"Paddle that canoe, Caribou"

-Rema ésa canoa, Caribú-

Charlie Chimpanzee wants to find something fun to do outside in the winter.

So what do we tell chilly Charlie?

Charlie el chimpancé busca algo divertido para hacer afuera en el invierno.

¿Pues qué le decimos a Charlie?

"Learn to ski, Chimpanzee"

–Aprende a esquiar, Chimpancé–

Angie Antelope loves to play in the snow.

So what do we tell Angie?

Angie la antílope le encanta jugar en la nieve.

¿Pues qué le decimos a Angie?

"Sled down the slope, Antelope"
–Baja de la loma en el trineo, Antílope–

Amy Ape wants to have lots of energy.

So what do we tell awesome Amy?

Amy la mona quiere tener mucha energía.

¿Pues qué le decimos a la alucinante Amy?

"Stay in shape, Ape"

-Mantente en forma, Mona-

Buster Bobwhite is looking for
something to do on a windy day.

So what do we
tell Buster?

Buster el pajarito busca algo para
hacer en un día con viento.

¿Pues qué le decimos
a Buster?

"Fly a kite, Bobwhite"
-Vuela un cometa, Pajarito-

Wally Whale would like to
try a new water sport.

So what do we
tell wild Wally?

Wally el ballena le gustaría probar
un deporte acuático nuevo.

¿Pues qué le decimos al
aventurero Wally?

"Set sail, Whale"
-Zarpa, Ballena-

Al Albatross likes to play catch with his friends.

So what do we tell Al?

Al el albatros le gusta jugar a tirar la pelota con sus amigos.

¿Pues qué le decimos a Al?

"Give the ball a toss, Albatross"
–Tira la pelota, Albatros–

David Dolphin knows that in order to play better he needs to practice.

So what do we tell David?

David el delfín sabe que para mejorar necesita practicar.

¿Pues qué le decimos a David?

"Let's go golfin', Dolphin"
–Vamos a jugar al golf, Delfín–

Shelly Shark loves to play with her friends, but knows it's not safe to play in the street.

So what do we tell Shelly?

Shelly la tiburón le encanta jugar con sus amigos, pero sabe que es peligroso jugar en la calle.

¿Pues qué le decimos a Shelly?

"Play in the park, Shark"
-Juega en el parque, Tiburón-

Marvin Mule knows that swimming is fun and good for his muscles.

So what do we tell Marvin?

Marvin el mulo sabe que nadar es divertido y muy bueno para sus músculos.

¿Pues qué le decimos a Marvin?

"Swim laps in the pool, Mule"
–Da vuelta nadando en la piscina, Mulo–

Teddy Turtle loves to run and jump but sometimes things get in his way.

So what do we tell steady Teddy?

Teddy el tortuga le encanta correr y saltar pero de vez en cuando los obstáculos bloquean su camino.

¿Pues qué le decimos al firme Teddy?

"Clear the hurdle, Turtle"
–Salta la valla, Tortuga–

Gerard St. Bernard wants to play outside but needs to stay close to home.

So what do we tell Gerard?

Gerard el perro quiere jugar afuera, pero necesita quedarse cerca de su casa.

¿Pues qué le decimos a Gerard?

"Play in the yard, St. Bernard"
-Juega en el patio, Perro-

Henry Hawk likes to spend time with his family after dinner.

So what do we tell Henry?

Henry el halcón le gusta pasar tiempo con su familia después de cenar.

¿Pues qué le decimos a Henry?

"Go for a walk, Hawk"

-Da una caminata, Halcón-

Trent Trout wants to learn more about the world around him.

So what do we tell Trent?

Trent el trucha quiere aprender sobre el mundo alrededor de él.

¿Pues qué le decimos a Trent?

"Get out and about, Trout"
-Sal y actívate, Trucha-

Brooke Bumblebee is looking for something to do at the picnic.

So what do we tell Brooke?

Brooke la abeja busca algo para hacer durante su picnic.

¿Pues qué le decimos a Brooke?

"Throw a frisbee, Bumblebee"
–Tira al disco golf, Abeja–

Sammy Snake gets bored just laying in the sun.

So what do we tell Sammy?

Sammy el serpiente se aburre bañándose en el sol.

¿Pues qué le decimos a Sammy?

"Water-ski on the lake, Snake"
–Esquía en el lago, Serpiente–

Margaret Mole is looking for something to do on a rainy day.

So what do we tell Margaret?

Margaret la topo busca algo para hacer en un día con lluvia.

¿Pues qué le decimos a Margaret?

"It's fun to bowl, Mole"
-Es divertido jugar boliche, Topo-

Godfrey Goat needs to get his family
to the other side of the lake.

So what do we tell
Godfrey?

Godfrey el chivo necesita llevar
su familia al otro lado del lago.

¿Pues qué le decimos
a Godfrey?

"Row a boat, Goat"
–Rema el bote, Chivo–

Paula Pike wants to visit her friends before it gets dark.

So what do we tell Paula?

Paula la pez quiere visitar a sus amigos antes de que caiga la noche.

¿Pues qué le decimos a Paula?

"Ride your bike, Pike"

–Móntate en bicicleta, Pez–

William Weasel wants to be creative.

So what do we tell William?

William el comadreja quiere ser creativo.

¿Pues qué le decimos a William?

"Paint on an easel, Weasel"

–Pinta en el caballete, Comadreja–

Bryce Blue Jay spends too much time watching TV.

So what do we tell Bryce?

Bryce la urraca de América pasa demasiado tiempo mirando la televisión.

¿Pues qué le decimos a Bryce?

"Go play, Blue Jay"

–Vete a jugar, Urraca–

Faith Fawn wants to help with the family chores.

So what do we tell Faith?

Faith la cervatillo quiere ayudar con las tareas de la casa.

¿Pues qué le decimos a Faith?

"Rake the lawn, Fawn"
–Rastrilla el césped, Cervatillo–

Mindy Mink wants to do something
fun for her birthday.

So what do we
tell Mindy?

Mindy la visón quiere hacer algo
divertido para su cumpleaños.

¿Pues qué le decimos
a Mindy?

"Skate in the rink, Mink"
–Patina en la pista de hielo, Visón–

Heather Hippo loves to cool off
on a hot summer day.

So what do we
tell Heather?

Heather la Hipopótamo le encante
refrescarse en un día caluroso
durante el verano.

¿Pues qué le decimos
a Heather?

"Go for a dip-o, Hippo"
–Date un chapuzón, Hipopótamo–

Quincy Quail loves nature and
wants to get some fresh air.

So what do we
tell Quincy?

Quincy el codorniz le encanta la naturaleza
y él quiere respirar aire fresco.

¿Pues qué le decimos
a Quincy?

"Hike a trail, Quail"
–Ve por una caminata, Codorniz–

Maisey Mouse gets tired sitting
around the house all day.

So what do we
tell lazy Maisey?

Maisy la ratón se cansa de
estar sentada en la casa.

¿Pues qué le decimos a
la perezosa Maisy?

"Get out of the house, Mouse"
-Sal de la casa, Ratón-